인어
공주를
위하여

이 미 라

늘 감사하고
행복했습니다.
이 책이 작은 기쁨이
되어 드린다면
참 기쁠것 같아요.

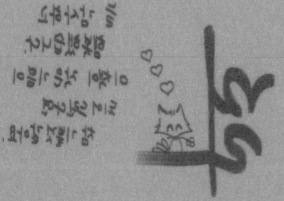

인어
공주를
위하여

LEE MI RA SPECIAL EDITION

인어
공주를
위하여

이미라

3

학산문화사

LEE MI RA SPECIAL EDITION

인어공주를 위하여 3권

제12장 파문 part.2

그렇게 된 거군.

네 말을 들으니
안심이다.
아무쪼록 더 이상
서지원과는 가까이
하지 않도록 해.

너를 위해서
하는 말이다.

휴~. 서지원 그놈에겐
두 손 두 발 다 들었다.
어떻게든 바로잡아보려고
무던히도 애썼는데…

그저 빨리
졸업이나 해주기를
기다릴 뿐이지.

그놈을 보면 인간의 본성은
선량하다는 말이
잘못된 거라는 생각조차 들어.

됐다.
넌 그만
나가봐라.

장미는
또 무슨 일로…?

너를 부른 건
다름이 아니라….

어휴~
이상한 헛소문 때문에
지도실까지 불려가다니…
…악몽이다!

세상에는 세 부류의
사람이 있는데
그 첫째가 꼭 필요한 사람…,
둘째가 있으나마나 한 사람…,
그리고 셋째가 있어선 안 되는
암적인 존재…

사람으로 태어난 이상
첫째 부류의 사람이 되도록
노력해야 마땅하며
최소한 세 번째 부류만은
되지 말라셨지.

나 같은 경우는
어디에 해당하는가 하면….

아하….
아무리 좋게 봐줘도
두 번째밖에 안 되는군.

부끄…

그럼
서지원은
세 번째로
봐야 할까….

정말이지 동생과는
너무 다르지 뭐야.

그놈을 보면
인간의 본성은
선량하다는 말은
잘못된 거라는
생각조차 들어.

어릴 때만 해도
천사 같은 녀석이었지.

선생님마저 포기해버리는
학생이라니….
그건 세상 모두로부터 버림받은 것과
같을 거야….

어쩌지
울적하다.

리틀 제니…

안녕, 지수는 어디 있니?

저기, 저 꼬마 아냐?

그리고, 그날이 왔다.

다녀왔습니다.

그래, 장미는
잘 바래다줬니?

장미 만난다고
하지 않았니?

예, 저도 그런 줄
알았는데요.
사실은 그게…

아뇨.
딴 여자애를
바래다주게
되었어요.

갑자기 그게 무슨 뚱딴지 같은 말이냐?

없죠?

그래, 대구를 떠나서 산 적이 한 번 있지만 그땐 경산이었다.

그럼요…. 언제 만화가 집과 이웃하고 산 적은 있어요?

만화가라…. 글쎄, 기억에 없는데?

장미가 만나자고 한 이유를 묻는데 왜 자꾸 이상한 질문만 하니?!

사실은요, 오늘 장미 친구를 만났는데… 그 여자애가 저랑 이름이 같은 소꿉친구를 찾는대요.

저는 제 이름이 독특한 편이라서 같은 이름을 가진 애는 없을 줄 알았어요.

안타까워하는 그 여자애가 좀 측은하기도 했고…. 그래서 행여 제가 기억을 못하는 게 아닌가 하는 생각도 들고요.

그런데 나이까지 같다니 기분이 묘해지더라고요.

네 엄마 같은 사람이 또 있었나 보구나. 동명이인이라니….

누가 뭐라나? 내 말은 말이오, 19년 전에 그런 이름을 지은 당신이야말로 시대를 앞서가는 여성이란 뜻이었소.

하 하…

이이 좀 봐~. 푸르매란 이름이 어때서요?

아닌 것 같은데,

사실 그 이름을 생각한 건 더 오래 전 여고시절이었어요.

항상 국어 사랑을 강조하던 선생님이 계셨는데 하루는 순수 우리말 이름 짓기 숙제를 내셨죠. 그때 친구가 지어 온 이름이었어요.

그 이름이 하도 예뻐서 친구들이 서로 나중에 푸르매 엄마가 되겠다고….

그럼 어머니 친구분들 중에 푸르매란 이름을 지으신 분들도 더러 있겠네요?

당신 친구도 아들 이름을 푸르매라고 지었다지 않았소? 그… 이름이 자영이던가 하는….

글쎄다. 결혼할 즈음엔 나이들이 들었으니 달랐을 수도….

그래, 장미 엄마도 푸르매로 이름 짓겠다던 친구 중 한 명이란다.

무엇보다 우리나라는 항렬이니 뭐니 따지는 것도 많고….

걔는 시아버지 반대로 본명은 따로 지었어요. 게다가….

그 푸르매가 구미에서 살았대?

그래서 저녁 한끼 잘 얻어먹고 헤어졌지, 뭐.

슬비야,
너 설마
진심으로…

피곤해….
나 먼저
들어가 쉴게.

탁…

그렇게도
들떴는데….
한바탕 꿈을
꾼 것 같아.

푸르매,
너는 어디에 있니?

제13장 또 하나의 약속

진만과 수학은 봄부터 복식조를 짜서 연습하고 있었고, 우리들은 솔직히 그 팀에게 기대하고 있었거든.

진만이 녀석이 부상을 당해 완치되려면 한 달이 넘게 걸린다니 대타로 들어갈 실력자는 서지원밖에 없는데….

거절을 하니 수학이는 예선에도 못 나가게 됐어. 사람 하나 구하는 셈 치고 힘써줘.

지원이라면 이번 여름만 합숙에 참가해주면 문제 없을 거야.

사정은 들어서 잘 알겠는데요, 어째서 나한테 그런 말을 하는 거냐고요?

그 그런…, 말도 안 돼요!

내가 왜…. 서지원 선배는 나랑 아무 상관도 없어요…!

너하고 가까운 사이라니까 네가 잘 설득하면 될지도 몰라.

응? 슬비잖아.

너, 서지원의 여자 친구라며?

아니라니까요. 헛소문이에요!

성빈이 넌 잘 알잖아. 뭐라고 얘기 좀 해봐!

진짜 얘랑은 아무 관계도 아니에요.

지원이 녀석이 너를 자기 연인이라 했다던데…. 농담인가?

골탕 먹이려고 작심했군. 으득~.

무슨 말을 들었는지는 모르겠지만 어쨌거나 나하고는 관계 없어요.

도와주지 못해서 미안해요.

으~.
싫다, 싫어!

내가
털어줄까?

가까이 오지 마.
너까지 분필 가루
마실 필요
뭐 있니?

그럼 난
책상을 닦을게.
너도 전에
도와줬잖아.

주번일 때
제일 싫은 일은
지우개 터는 일과
화장실 청소야.

이 분필 가루
계속 먹다가는
제 명에 못 죽을걸?

아닌 게 아니라
분필 가루가
그렇게 해롭대.
선생님들 중 호흡기
나쁜 분이 많고
더러는 진폐증에
걸리기까지
한다니….
그런 생각 하면
선생님 말씀을
정말 잘 들어야
하는데….

등나무 아래에서
기다릴게.

잠깐만요ㅡ!

서…지원에게
갈 거라면
저도 데리고
가주세요.

좋아.

뒤에 타.

장미…?

등나무 아래에서
기다린다 하지 않았어?
없네?

아니, 안색이 왜 그래?

회장님 들어 오셨어.

장미 왔구나.

…무척 오랜만에
뵙는군요, 아빠.

다행히 딸의 얼굴은
잊지 않으셨나 봐요.

저,
저 버릇없는 것…

누가 데리고 왔어?!

아, 내가….
널 만나고 싶다고
부탁하기에….

금방 올 테니까
아까 하던 의논
계속하고 있어.

콰!

저 망할 계집애.
번번이 나타나
훼방이야.

대장도 요즘
마음에 안 들어.

저 계집애에
한해서는
우리보다
우선하거든.

좀 그렇지.

우리가 만날 날은
아직 멀었다고 아는데?

그래…, 알아….
그래서가
아니…고….

…….

말을 해.
할 말이 있어
왔을 것 아냐.

오… 오늘
학교에
안 나왔지?

그건…,

물주의 자격으로
묻는 건가?

아냐, 아니…,
그런 것이 아니라
실은 묻고 싶은 게…,
꼭 알고 싶어서….

그… 소문….
학교에 떠도는
그….

사실이야?

그 애…,
이슬비하고
특별한 관계라는….

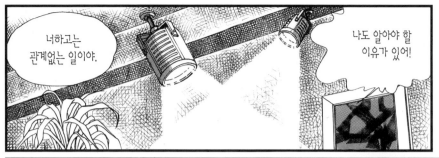

너하고는
관계없는 일이야.

나도 알아야 할
이유가 있어!

채권자로서의
권리를 행사하겠다…

그 말이군.

그….

뭐, 좋겠지.
계약은 계약.
그런데….

그런 거
아니….

내 마음까지
구속한다는 조건은
아니었지 않나?

…이렇…게

이렇게도 간단한
한마디인가….

수백 번… 수천 번 곱씹으면서도
차마 입 밖에 낼 수 없었던
나의 마음….

…이렇게도… 쉬운….

곧바로 후회할 말을
왜 하냐, 그래.

너무 염려 마.

공주님이 한순간
실언한 것 정도는
못 들은 걸로 해줄게.

오랜 잊히움과도 같은 병이었습니다.
저녁 갈매기 바닷물 휘어적신 날개처럼
피로한 날들이 비늘처럼 돋아나도
북녘 창가에 내 알지 못할 이름의
아픔이었던 것을.

하루 아침 하늘 떠받고 날아가는
한 쌍의 떼기러기를 보았을 때
어쩌면 그렇게도 한없는 눈물 흐르고
화살 맞은 듯 갑자기 나는
나의 병 이름의 그 무엇인가를
알 수가 있었습니다.

「사랑」 김남조

기다려줘!

지원아…!

내가 말을
잘못했어….
제발…!

잊고 있다가도
그 다리만 보면 한심해서
구토가 일 만큼
역겨워진단 말이다!

—그렇게
말 안 해도
내가 병신이란 것은
잘 알아!

...병신....
...다리 불구....
그래, 그게 나야.

그게… 목적이었니?
그럼 계약을
파기시킬 수 있는
방법을 제시할까?

기꺼이
받아들이지.

두 가지 방법이
있어.

…그 첫째가
나의 죽음.

둘째가
너의 죽음.

일생을 잃은 대가로
얻은 3년인데…

너라면 그냥
포기하겠니?

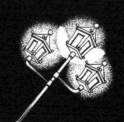

…기대하지 마.
내쪽에서 먼저
손 놓는 일은
절대 없어.

네가
아무리 증오해도
계약은 유효한 것.

…잘 알고
있겠지?

넌더리가 날 만큼
분명히!

친선 권투 경기가 열리는
화랑고교.

슬비.

아, 휘인 선배.

이거….

잘 싸워줘.

아…, 고마워.

미녀에게 꽃도 받았고, 기분 나는데 K.O로 이겨버려!

힘내세요, 선배님!

잘해, 형!

왔구나, 슬비!

그날 종인은 필사적으로 싸워 승리했다.

괜찮아. 전에 지원에게 맞은 부위가 다시 터진 것뿐이야.

병원에 안 가봐도 되겠어?

집에 가는 길에 같이 가보자.

짜아식~, 아무튼 잘했어.

미녀 여자 친구에게 꽃 받은 보람이 있었어.

축하해.

축하해요.

정말 대단했어요. 또 그런 멋진 경기 있으면 초대해주세요.

얘는…

고…, 고마워. 모두 응원해준 덕분이야.

헤 헤

와아
공개적인
교제 신청이냐?

솔직하게 마음에 든다

응원 해줄 게
잘 해봐

무, 무슨 말을
하는 거예요?
창피스럽게…

그게 뭐
창피스럽니?

따닥..

따닥..

나...
모레 서울 가.

따닥..

따닥!

그런데…?

편지해도 돼?

…좋을 대로….

너를 만나면
언제나 아파….

한 번 만나면
하나의 상처….

또 한 번 만나면
또 하나의 상처….

온 가슴이…
다 상처 자국으로 채워져
더 이상의 아픔이란
없을 듯도 한데….

언제나…
너를 만나면 아파.

…너는
면역체가
형성되지 않는
내 불치의 병.

씨이~. 만날
슬비만 위해주고,
나한텐 무식하다
그리고….

난 뭐,
자존심도 없는
사람인 줄 알아?

울지 말자.
여장부 이미라가
이까짓 일로 눈물을
보여선 안 돼.

나도….

만화나 배울까….

제14장
잃어버린 동화

뭐야?

어서 일어나서
밥 먹자.
배고파, 형.

귀찮게 굴지 말고
저리 비켜!

자식—,
단잠을
깨우고 있어.

언제 밥 한 번
제대로 챙겨준 적
있어요?!

흥!
알 게 뭐야.

누나, 미워요.
왜 이제 왔어요.

얼마나
보고 싶었는지
알아요?
엉엉….

미안해~.
나도 보고 싶었어.
그렇지만 너무너무
바빴단다.

후 다 닥…

전 누나가 저를
잊어버린 줄 알고
막 속상했었다고요.

지금 이렇게 왔잖아.
참, 밥은 먹었니?

또
끔

우당탕
퉁탕

쩽쨍

……

아니,
쌀이 없잖아.

이런, 석유도
다 떨어졌군.

어쩌지…
어쩌지…

오늘 아침은 생걸로 때우자.

쩍!

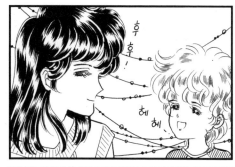

후 후!

헤 헤

이것들이 밥도 안 먹고 웃고 있어.

형, 슬비 누나가 도시락 싸왔어.

여기…

나랑 소풍가려고 김밥 싸오신 거죠, 누나?

그래.

이봐!

전에 말했잖아!
두 번 다시 지수에게….

지수에게….

말똥 말똥

대구 달성공원

형, 내 생일이
언제야?

4월 17일.

4월 17일.

그럼 형은?

…2월
12일…

아유~,
저 보기 싫은 철근….

관망대는
언제쯤 완공될까?

앗!
나비다아~.

※주 : 타워는 1992년에 완공되었답니다.

목적이 뭐야?

예?

몇 번씩이나
나의 경고를 무시하고
내 주위를 얼쩡거리는
이유가 뭐야?

와~. 선배,
자의식 과잉
같은데요.

분명히
밝혀두겠는데요,
선배가 아니라
지수를 만나러
온 것뿐이에요.

그리고 사람이 사람을
만나는 이유가 반드시
무언가 바라는 게
있기 때문이라고는
생각하지 않아요.

틀려요.
이 세상은 선배가
생각하는 것처럼
나쁜 곳이
아니에요.

선배는 왜…
뭐든 의심부터
하고 봐요?

그게 현실이니까.

그래,
살기 좋은 곳이지.
가진 자에 한해서
말이야.

유전무죄
무전유죄라고
했던가?!

정말 마음이
삐뚤어진
녀석이군.

세상은 공평해요.
열심히 노력하면
모든 일을 이룰 수
있는 거예요.

노력도 안 하고
비난만 한다는 것은
잘못된 거예요.

그래,
수단과 방법을
가리지 말고
노력해야겠지?

어쨌거나
지수를 위해서라도
깡패 이미지는
안 좋아요.

깡패?
누가 그런 소릴 해?

불개미단 리더가
선배이고, 불개미단이
깡패 집단이라는 건
모두가 알고 있어요.
그래선 안 되잖아요.

으음...

이번엔
수렁에 빠진
죄 많은 남자를
구원해주는
천사가 되었나?

언제까지나
그런 모습을
두고 볼 수는
없으니까요.

알았어,
바가지 긁는
마누라가 생긴
기분이군.

카
악!

사람이
진지하게 말하면
진지하게 좀 들으라고요!
학생이 담배나 피우고
폭주족이 되는 게
옳다고 생각해요?!

엇차!

지수 문제만 해도
그래요!
그냥 내팽개친 채
보살피지도 않으면서…

내가 하는 일은
왜 또 막아요?!
지수가 가엾지
않아요?!

얄팍한 동정은
필요 없어.

선배는 어떨지 몰라도
지수에겐 동정이든
사랑이든 보살펴주는
손길이 필요하다고요.

선배가 뭐라 해도
나는 지수를
계속 만날 거예요,
알겠어요?

그 애에게는
잡은 손을
놓아야 하는
슬픔을...

깨닫게
하고 싶지 않다.

정 떼는 데
익숙지 못해.
그러니 이쯤에서
그만둬.

싫어요!

나는
똑똑하지 못해서
장래 일까지
생각해보지 못했지만
지수를 그런 식으로
본 적은 없어요.

난 진심으로
지수를
걱정하는 거예요.

정말로 가능하다면
그 애가 어른이 될 때까지
보살피고 싶어요.

...상황이 변하면

마음도
변하기 마련이지.

내가 변했듯이!

어린 시절
여기서 내려다 보던 도시는
장난감 도시.

상자마다마다
꿈으로 가득 차
있는 것 같았어.

흠, 나랑은
많은 시각 차이가
있었군요.

내 눈은 저 속에
숨어 있는 동화를
쫓고 있었지.

나는
저 건물들을 보고…

이 얘기를 하면
틀림없이
웃을 거야.

킥.

내가 어릴 때도
부모님은 바빠서
같이 놀러다닐 여유가
거의 없었어요.
그래서 자주 푸르매의
가족이랑 다녔어요.

처음
이 두류산에 오른 내가
산 아래를 내려다보며
했던 말은….

어린 날의 기억 속에서
부모님은
언제나 바쁘셨다.

하루 종일
혼자이기 일쑤였던
나는 글을
모르던 시절부터
책을 가까이 했고…

그중에서도
가장 좋아했던 것이
안데르센의 인어공주였다.

제15장 인어공주의 계절

여자라고 바깥 일이 전혀 없나요?!

왜 외출하는 것까지 사사건건 간섭이에요?!

내게도 내 일이 있다고요.

여자가 집에서 살림이나 착실히 할 것이지, 일이 다 뭐야!

게다가 행실이나 단정하면 내가 말을 안 해!

대관절 내 행실이 어쨌다고 그래요. 당신 아내로서 부끄러운 일은 손끝만치도 안 하고 살아요!

그런데 왜 남의 입에 오르내리는 거야!

이번엔 또 어디서 뭘 듣고 와서 그래요?!

당신 귀엔 어떻게 나도 모르는 내 얘기가 그리도 자세히 들린대요?!

와~, 잘한다.
서지원은 뭐든지
다 잘하는 것 같아.

정말이야.
저번에 웅변도 잘해서
1등상 받았잖아.

짝 짝

와 아

하
하
하

그렇게
한 해…,

또… 한 해가 가고….

학 졸업 식

눈물 한 방울로 아롱진
13살의 첫사랑—

그리고 이별…

블랙파워의
모든 멤버가
제 밑으로
들어온다면…

형님들 체면도
있고 하니
이 후배는
거절 못할 거라는
이야기지요.

보자보자
하니까 저….

멈춰.

입학식 날부터
사고 치치 말라는
캡의 말이 있어
참는다.

방과 후 조용히
면담하자는 뜻을
전하러 왔다.

이게 나와의 대화 방법이죠.

이 시간 이후 블랙파워는 없습니다.

원칙에 따라 도전은 언제든지 받아들일 테니 모두 분발들 하시고.

그 녀석하고 같은 중학교에 있던 애한테 들었는데...

두 번이나 중학교를 옮겼단다.

두 번 퇴학 당한 거나 마찬가지지. 선생님들도 하나같이 치를 떠는...

그 얼굴로 왜 그렇게 사냐...?

블랙파워 캡이 당했대. 그 불곰 말이야.

우리 반의 서지원이라는 애가...

설마 그 계집애같이 생긴 애가?

여리여리해 보여도 싸움 도사래.

블랙 파워가 끌어들이려다가 오히려 먹힌 거지.

웬만한 운동부들도 녀석에게...

…아니야!

다들 그렇게
말하지만…,

지원은 절대
그런 애가 아니야.

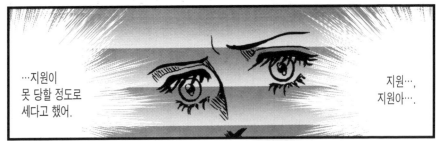

…지원이
못 당할 정도로
세다고 했어.

지원…,
지원아….

네 가방이지?

고마워….

저기, 다치지는
않았는지….
나 때문에….

팔이 조금
아프긴 하지만
뭐, 곧 낫겠지….

주 : 망우공원은 홍의 장군 곽재우(호:망우당)님을 기리는 뜻에서 조성된 공원으로
    망우당 기념관과 영남제일관이 함께 자리하고 있습니다.

아…

투둑

많이 기다렸니?

아냐.

그 팔…,
어떻게 된 거니?

혹시 어제
깡패들에게….

그냥 좀 삔 걸로
생각했는데

의외로 금이
갔었나 봐.

어…, 어떡해,
나 때문에….
많이 아프지?

아픈 건 별로 없어.
병원에서 괜히
깁스를 해버린 거
아닌가 몰라.

며칠 치료하면
나을 것도
몇 주 진단 내리고….
그런 데가
병원이잖아.

그래야 의사들도
먹고 살겠지만
나같이 없는 놈은
늘상 곤욕이지.

저어…, 이거….

…뭐야?

기분 나쁘게 생각하지 말고 받아줘.

어제 일 아버지께 말씀드렸더니 고맙다고 하시면서….

나 때문에 다친 거니까 치료비에 보태 써줘. 안 그러면 나는 정말….

고마워. 안 그래도 조금 고민하고 있었는데 잘 쓸게.

너무 늦지 않았니?

가자, 차 타는 데까지 바래다줄게.

단 20분간의 만남….
6년 간 꿈꿔온 시간인데….

쓸쓸하다.

하지만…
병원에 가야
하니까….

어떻게 됐어?

지원이다!

얼굴이 조금
변한 것 같아.
눈매가
더 날카로워지고
콧날도 더 섰지….

옛날 사진이
더 다정하게
보인다.

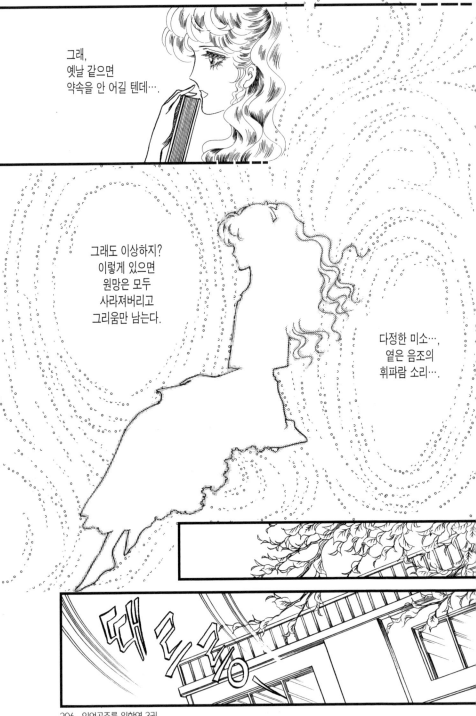

그래,
옛날 같으면
약속을 안 어길 텐데…

그래도 이상하지?
이렇게 있으면
원망은 모두
사라져버리고
그리움만 남는다.

다정한 미소…,
옅은 음조의
휘파람 소리…

백장미.

약속 어긴
대가로 집까지
바래다줬으니,
됐지?

들어가 봐.

그리고,
경고하는데

학교에서는
정말 아는 척하지 마.
나중에 지도실 들락거리며
괜히 내 탓하고 싶지
않다면.

...나를
걱정해주는
거야?

잘 있어.

잠깐만.

우리 집에
잠깐 들렀다
가지 않을래?

시원한 거라도
한잔 마시고 가.

난 참 좋아해.

돌아오지 않는
사람을 기다리고
또 기다리는
솔베이지….

결국 그는
돌아왔지만
솔베이지는
이미 백발이
되어 있었지.

나도…, 나도 그래.
기다리기만 하면,
내게로 온다는 확신만 있다면
얼마든지 기다릴 수 있어.
10년…,

또 10년이라도….

나는 여동생이 있어.
부모님이 이혼하셔서
엄마랑 서울에서
살고 있거든.

벌써 5년 전의 일이야.
상아는 무사히 구출되었지만
충격이 꽤 컸었나 봐.

유괴…?

상아가
유괴 사건 이후로
대구 오는 걸
싫어하니까
방학 때마다 내가
만나러 가야 해.

상아…,

백상아…, 사건….

그때 난 어렸지만
전국적으로 꽤 떠들썩했던
사건이었나 봐.

사장님께서
누군가에게 선물하려고 마련한
진주 액세서리 세트가
없어졌다고 노발대발하셔서….

테이블 위에 놓아두고
잠시 잊었다는데….
장미 너 혹시 못 봤니?

누구 왔다 간 사람도 없었어?

아냐.

지원인
그럴 리 없어.

그러나…
그날 이후
왜 피하는
거지?

불개미단이다.

오늘은
서지원이
안 보이네.

아까 수업도
안 들어
왔던데…

걔야 오는 날 반,
안 오는 날
반이잖아.

그것으로
너에 대한 미련을
모두 끊고
잊어버렸더라면….

나는 훨씬
자유로울 수
있었을지도 몰라.

이후에도
쭈욱….

그러나
그 대신 내 하루하루가
얼마나 공허했을지….

지원…,
난 지금도 내 선택을
후회하지 않아.

1989년 8월 서울의 하루….

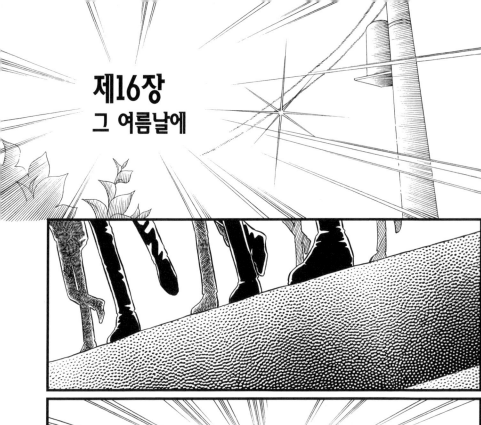

제16장
그 여름날에

종인이도
함께 가지 그러니?

으응?
밖이 꽤
소란스럽구나.

영차—

형이 같이
가려 해야 말이죠.

많이
모였어요?

아니,
모두 다
너희 일행이니?

세상에…

도표로 보는 캠핑 가족의 분류

원래의 계획	덤으로 가는 사람들

합계 : 18 명

푸르매,
정말 푸르매야?
하지만 이름이…?

내 본명은 서지원이야.
어렸을 때 집에서 부르는
이름이 푸르매였지.
…차츰
사용하지 않게 되어
나조차 잊었지만….

…정말…로…
…푸르매….

나의 푸르매!

푸르매ㅡ!

결국 같은
사람이잖아.
안 그래?

달라.

어째서 —!

뭐가 다르다는 거야,
네가 푸르매라고
직접 얘기했잖아!
그냥 장난친 거야?!

난 네 말 하나도
알아들을 수 없어!
난 똑똑하지 못하니까
알아들을 수 있게
얘기해줘!

정말
푸르매가 아니니?
내 얼굴 똑바로 보고
대답해!

그래.

한때
너의 푸르매였던 걸
부정하지는 않아.

그러나 새삼스럽게
다시 푸르매가 될 생각은
없어.

그건…
약속을 깬다는…
얘기…?

약속은
이미 오래 전에
깨어져 있었지.

무슨 말….

네가 키워온
상상 속의 푸르매와
현실 속의 내가
어긋나기 시작하면서
우리의 약속은
무의미해진 거지.

모르겠어.
그런 말….

나는 네 말 하나도
이해할 수 없어.

모르겠어?
그 애는
푸르매가 아닌
서지원이야.

잘 생각해봐, 슬비.
그 애 말이 옳은 거야.

네가 여지껏 기다려 온
환상의 푸르매와
현실의 푸르매…
지원은 전혀 다른 인물이야.
게다가 너에 대한 마음도
예전 같지 않아.

그 약속은
이미 오래 전에 깨어졌지.

너 역시 마찬가지….
넌 네가 만들어 온 환상을
좋아한 것뿐이야.
…모르겠니,
그 차이를…?

네가 상상 속에 만들어온 푸르매와
현실의 내가 어긋나기 시작한 그때부터
우리의 약속은 무의미해졌어.

다시 한번
말해보실까?

몇 번이라도
말해주지.

너무 잘난 척하지 마.

넌 우리를
리드할 자격이 없어!

물론이지!

저런 꼴을 당한 동료를 보고서 똥개처럼 꼬리를 말고 숨는 자가 어떻게 불개미단을 이끌 수 있겠냔 말이다!

자격이… 없다….

2년 전의 너라면 결코 그런 소리를 못해!

이건 나만의 생각은 아닐 거야!

2년 전….
그래, 그때는 정말 좋았어.
블랙파워를 누르고 난 후
우리들은 가는 곳마다
모두 두려워하는 존재가
되었지.

그때의 너는
내 우상이었어.

지금이 그 당시라면
캣츠아이 따위가
감히 우리를 건드릴
생각이나 했겠어?

다들 우리를 보고
뭐라고 하는지
알기나 해?
입에 담기조차
부끄럽다고.

모두 네가
우유부단하게
처리하기
때문이잖아.

그 계집애를
만난 뒤부터.

딱
…

결론이나 말해.

네게 더 이상
끌려다닐 수 없어.
물론 불개미단을
떠날 생각도 없어.

해봐!

...즉,
나를 밀어내고
싶다?

저 녀석,
무리하는군.

문섭이도
만만치는
않을 거야...

벙신같이...

감히 지원에게
덤비다니...

멋있더라.
그 실력으로
왜 캣츠아이를
피해 다니는지
정말 알 수 없어.

언젠가
캣츠아이랑
부딪칠 거지?
난 널 알아.

쓸데없는 소리 말고
시원한 거나
한 잔 사.

야아~.
그럼 둘이 데이트
하는 거야?

머리 속에서
계획이 한창
정리되고 있을 거야,
후후….

그건 그렇고…
계속 편지
오나 봐?
장미 공주
말이야.

탁

하루에
한 통씩
매일 오고
있지….

발 좀 밟았다가 죽는 줄 알았지, 뭐. 그런 놈들을 두고 지내야 한다니 속이 끓어.

서지원 놈 때문에 더 못 건드리는 거지, 뭐.

후룩

무슨 얘기들 하고 있었어?

푸른고교의 기생충 이야기.

서지원 말이에요.

이런 좋은 곳에서 뭐 하러 그런 놈 얘기를 꺼내냐? 기분 잡치게스리.

누군 하고 싶어 한 건가, 뭐.

내가 권투부원 된 사연을 얘기하다 보니 불개미단이 나오고, 그러다 보니….

그런데 더 열받는 건 그 녀석 얼굴에 헤벌레하는 여자들이 넘쳐난다는 현실이지.

대표적인 사례가 저기 있잖아.

푸르매를
부끄러워했어…,
내가….

우리는
먹이 주는 발 앞에서
꼬리치는 개가 아니야.
기분 내키면 손 내밀고
그렇지 않을 때는
외면하는 따위의 자선은
네 애완동물에게나
베풀라고.

옛날에…,

옛날에 옛날에
사랑을 했는데…

그 사랑도
떠나갈까…

내가 몰래
감췄더니…

사랑이…
서럽단다.

song by
양희은 〈옛날에 옛날에〉

『인어공주를 위하여 3권』 끝

LEE MI RA SPECIAL EDITION

인어공주를 위하여 3

2023년 4월 25일 초판 1쇄 발행

저자 이미라

발행인 정동훈
편집인 여영아
편집책임 최유성
편집 양정희 김지용 김혜정
디자인 형태와내용사이

발행처 (주)학산문화사
등록 1995년 7월 1일
등록번호 제3-632호
주소 서울특별시 동작구 상도로 282 학산빌딩
편집부 02-828-8988, 8836
마케팅 02-828-8986

ISBN 979-11-411-0326-2 (07650)
ISBN 979-11-411-0323-1 (세트)

값 16,500원